LES BOUCHES INUTILES

SIMONE DE BEAUVOIR

LES BOUCHES INUTILES

pièce en deux actes
et huit tableaux

GALLIMARD

Il a été tiré de cet ouvrage vingt-cinq exemplaires sur
vélin pur fil Lafuma Navarre dont vingt exemplaires
numérotés de I à XX et cinq exemplaires hors commerce
marqués de a à e.

A MA MÈRE

PERSONNAGES

Louis d'Avesnes	Lucien Blondeau.
Jacques Van der Welde ...	Roger Bontemps.
François Rosbourg	Georges Vitsoris.
Jean-Pierre Gauthier	Jean Berger.
Georges d'Avesnes, fils de Louis	Jean-Roger Caussimon.
Le Capitaine.	
Le Chef de Chantier.	

Soldats, maçons, drapiers, députés, gens du peuple.

Catherine, femme de Louis..	Jacqueline Morane.
Clarice, leur fille	Olga Dominique.
Jeanne	Marise-Manuel.
Femmes du peuple.	

La scène se passe au XIVe, à Vaucelles, ville de Flandre.

La pièce a été représentée pour la première fois en novembre 1945 dans la mise en scène de Michel Vitold, *au Théâtre des Carrefours.*

ACTE PREMIER

PREMIER TABLEAU

Un poste de garde sous les remparts de Vau-
celles, au pied d'une tour. Trois soldats autour
d'un feu. Ils battent la semelle pour se
réchauffer.

PREMIER SOLDAT

Quel froid !

DEUXIÈME SOLDAT

J'ai faim. Est-ce que l'angélus ne va pas
bientôt sonner ?

PREMIER SOLDAT

Une fois qu'on a mangé, c'est encore pis :
on a aussi faim et on n'attend plus rien.

DEUXIÈME SOLDAT

Si au moins il se passait quelque chose, ça
distrairait.

*Une femme accompagnée d'un enfant
vient se coller au mur.*

Troisième Soldat

On est là, on ne bouge pas, les Bourguignons ne bougent pas non plus. Un an que
ce siège dure ! Ça ne finira jamais.

Premier Soldat

Ça finira. On ne peut pas vivre longtemps
avec de l'herbe et du son.

*Une sentinelle descend du rempart
poussant devant elle Jean-Pierre Gauthier.*

La Sentinelle

Où est le capitaine ? nous avons pris un
espion bourguignon.

Gauthier

C'est moi l'espion.

Troisième Soldat

Gauthier !

Deuxième Soldat

C'est Jean-Pierre Gauthier !

Gauthier

Que je suis content de vous voir ! Il faisait diablement froid dans ce fossé. Donnez-moi vite une soupe bien chaude.

PREMIER SOLDAT

Viens t'asseoir près du feu. Tu as l'air transi.

LA SENTINELLE

Je veux remettre cet homme au capitaine.

PREMIER SOLDAT

Puisqu'on te dit que c'est Gauthier.

LA SENTINELLE

Personne n'a le droit de franchir les murs.

TROISIÈME SOLDAT

Tête de mule.

DEUXIÈME SOLDAT

Ça va ; je vais lui chercher le capitaine.

Il entre dans la Tour. Une vieille vient se ranger à côté de la première femme.

PREMIER SOLDAT

Tu as vu le roi de France ?

DEUXIÈME SOLDAT

Quand viendra-t-il chasser le duc ?

GAUTHIER

Je dirai cela à maître d'Avesnes. Servez-moi de la soupe.

PREMIER SOLDAT

C'est que... nous n'avons pas de soupe.

GAUTHIER

Donnez-moi n'importe quoi qui se mange avec un bon coup de vin.

Les soldats se regardent, gênés.

DEUXIÈME SOLDAT

Nous n'avons pas de vin.

LA SENTINELLE

Mais d'où arrive-t-il celui-là ?

PREMIER SOLDAT

Il faut attendre l'angélus.

GAUTHIER

Quoi, il n'y a rien à manger ici ? Rien à boire ?

LA SENTINELLE

Il ne comprend rien.

PREMIER SOLDAT

On nous donne deux fois par jour une bouillie de son et un pain fait d'herbes séchées.

Deux femmes passent et rejoignent les autres.

GAUTHIER

Nous en sommes arrivés là ?

DEUXIÈME SOLDAT

Oui, il faudrait que le roi de France se hâte.

GAUTHIER

Que font ces femmes ?

DEUXIÈME SOLDAT

Elle viennent chaque jour mendier un peu
de nourriture. Ah ! je n'aime pas les voir.

Il tourne le dos.

LE CAPITAINE

Mais oui, c'est Gauthier. (*A la sentinelle.*)
Va prévenir maître d'Avesnes. (*La sentinelle
sort.*) Tu es rentré sans trop de peine ?

JEAN-PIERRE

Pour traverser le camp des Bourguignons, ça
n'a pas été difficile. Mais notre ville est bien
gardée.

LE CAPITAINE

Que dit-on de nous à Paris ?

GAUTHIER

Les bourgeois nous admirent mais ils n'auraient pas l'audace de chasser leur roi et de
se gouverner eux-mêmes. Ils sont trop étour-
dis et trop prudents.

LE CAPITAINE

Ah ! ce que nous avons fait là, tout le monde
n'est pas capable de le faire.

Troisième Soldat

Pour ça, il fallait être hardis. Si on avait manqué notre coup, on était tous pendus.

Deuxième Soldat

C'est le bailli du duc qui a été pendu ! (*Ils rient.*) La belle journée !

Gauthier

Nous en connaîtrons d'aussi belles !

Deuxième Soldat

Tu crois ?

Premier Soldat

Est-ce qu'un jour nous serons au bout de nos peines ?

Gauthier

Oui, ce jour viendra. Bientôt nous serons des hommes heureux et libres. Nous travaillerons pour nous, nous vivrons pour nous.

Le Capitaine

Toutes les autres villes envieront notre sort; nous donnerons au monde un grand exemple. Ayez confiance : nous n'aurons pas souffert en vain.

Premier Soldat

Si on n'avait pas confiance, on ne supporterait pas ce qu'on supporte.

Entre Louis d'Avesnes, Gauthier va vers lui. Le capitaine se retire.

GAUTHIER

Maître d'Avesnes ! Vous voyez que je n'ai pas flâné.

LOUIS

C'est vrai. Tu as couru vite. Quelles nouvelles ?

GAUTHIER

Le roi de France viendra à notre secours. Il a dit : « C'est mon intérêt autant que le vôtre. » Mais il viendra seulement au printemps.

LOUIS

Au printemps !

GAUTHIER

Il faut d'abord qu'il chasse les Bourguignons de ses terres. Et son armée ne peut faire en hiver ce long voyage : ils ne trouveraient ni ravitaillement, ni fourrage.

LOUIS

Au printemps !

L'angélus sonne. Deux cantiniers apportent une bassine de soupe et une corbeille de pain. Ils commencent à servir les soldats. Les femmes s'approchent d'eux.

Première Femme

Par pitié ! un peu de soupe pour mon petit qui meurt de faim !

La Vieille

Un petit morceau de pain, par pitié !

Un des cantiniers prend un pain et hésite.

Troisième Femme

Je n'ai pas mangé depuis trois jours.

Le cantinier leur tend le pain. Le deuxième soldat s'en saisit.

Deuxième Soldat

Tu es fou. C'est notre pain.

Premier Soldat

Crois-tu que notre ration soit trop grosse ?

Les femmes se mettent à pleurer.

Troisième Femme

J'ai faim ! J'ai tellement faim.

Les soldats mangent sans les regarder, d'un air buté.

Gauthier

Allez-vous les laisser mourir de faim ?

Silence. Les soldats continuent à manger.

Camarades, vos cœurs sont-ils devenus si durs ?

LOUIS, *s'approche*

Laisse-les. Ils n'ont pas trop de tout leur pain.

GAUTHIER

Mais que peut-on faire pour ces femmes ?

LOUIS

Rien.

DEUXIÈME TABLEAU

Au pied du beffroi en construction. Place aux boutiques fermées.
Bruit de marteaux et de scies. Des ouvriers travaillent. Dans un coin, devant l'Hôtel de Ville, des femmes, enfants, vieillards, font la queue avec des gamelles à la main.

UNE VIEILLE

Qu'est-ce que tu manges ?

UNE AUTRE

Il mange.

UNE AUTRE

Qui mange ?

UNE AUTRE

Qu'y a-t-il ?

UNE AUTRE

C'est Mathieu qui mange.

MATHIEU

C'est de la paille.

LA VIEILLE

Où as-tu trouvé de la paille ?

Passent Jeanne et Jean-Pierre.

JEANNE

Tu as vu comme le beffroi a grandi depuis ton départ ?

JEAN-PIERRE

Il a grandi. Comme te voilà maigre et pâle, petite sœur.

JEANNE

Suis-je si pâle ? Je ne me sens pas malade. Tu as mangé du pain blanc à Paris ?

JEAN-PIERRE

Oui, du pain blanc. Qu'est-ce que ces gens attendent ?

JEANNE

On distribue chaque jour aux indigents un peu de nourriture.

JEAN-PIERRE

Des herbes sèches ! Et pendant des heures ils attendent !

Un temps.

Quand j'ai quitté Vaucelles, il y avait encore des enfants qui jouaient dans les rues et quelquefois une femme chantait.

JEANNE

Trois mois ont passé.

JEAN-PIERRE

Trois siècles ! Ah ! je voudrais fuir loin d'ici: depuis que j'ai franchi vos murs, chaque bouffée d'air que je respire a un goût de remords. Pourtant rien de tout cela n'est ma faute.

JEANNE

Ne te tourmente pas.

JEAN-PIERRE

Tous les regards que je rencontre ont l'air de reproches ou de prières. Il n'y a plus que des mendiants dans cette ville. Moi, je n'ai jamais rien demandé à personne. Je voudrais qu'on me laisse en paix, en paix avec moi-même.

JEANNE

Va, tu t'habitueras.

JEAN-PIERRE

Crois-tu ? Comme il faisait bon galoper seul sur les routes !

Un temps.

Comment va Clarice ?

JEANNE

Elle est maussade.

JEAN-PIERRE

Et Georges ?

JEANNE

Tu le connais.

JEAN-PIERRE

Parle-moi franchement : l'aimes-tu ?

JEANNE

Est-il nécessaire que je l'aime ?

Clarice entre en courant, voit Jean-Pierre, s'arrête et s'avance d'un air indifférent.

JEAN-PIERRE

Clarice !

CLARICE

Bonjour, Jean-Pierre.

JEAN-PIERRE

Tu me cherchais ?

CLARICE

Non. Je me promenais.

JEAN-PIERRE

Que je suis heureux de te voir !

CLARICE

Vraiment ?

JEAN-PIERRE

En doutes-tu ? Depuis que j'ai franchi ces remparts, je ne désire rien d'autre.

Il prend ses mains. Ils se regardent.

CLARICE

Depuis que tu as franchi ces remparts... As-tu pensé à moi pendant ces trois mois ?

JEAN-PIERRE

Souvent.

CLARICE

Mais tu ne me regrettais pas ?

JEAN-PIERRE

Que pouvais-je regretter ? Il me suffisait de savoir que quelque part au monde il y avait ces yeux bleus, ce sourire.

CLARICE, *se dégage.*

Moi, je n'ai pas pensé à toi. Je ne pense jamais aux morts, ni aux absents. Je n'aime pas les fantômes.

JEAN-PIERRE

Je ne suis plus un fantôme. (*Il fait un mouvement vers elle. Elle recule.*) Pourquoi t'éloignes-tu de moi ?

CLARICE

Nous avons vécu pendant trois mois comme

des étrangers et nous n'en avons pas souffert.
A quoi bon nous revoir ?

JEAN-PIERRE

Il est bien que nous n'ayons pas souffert.
Si ton absence creusait un vide en moi, si
mon image te cachait le monde, c'est alors
qu'il faudrait ne plus nous revoir.

CLARICE

Tu as raison. Je hais la souffrance.

JEAN-PIERRE, *la prenant dans ses bras.*

Tu es là, je te vois, je te respire : il n'y a rien
de plus à souhaiter. Je suis heureux que tu
n'aies pas pensé à moi.

CLARICE

Tu en es heureux ?

JEAN-PIERRE

Ah ! si je pensais que ces yeux puissent par
ma faute se salir de larmes...

CLARICE

Que ferais-tu ?

JEAN-PIERRE

J'étoufferais auprès de toi comme j'étouffe
dans cette ville.

CLARICE, *un temps.*

Pourquoi es-tu revenu ?

JEAN-PIERRE

J'étais parti pour revenir.

CLARICE

Je ne serais pas revenue.

JEAN-PIERRE

Tu aurais oublié ta ville ?

CLARICE

J'aurais tout oublié. J'aurais vécu seule et libre. J'aurais vécu.

JEAN-PIERRE

Et tu n'aurais jamais pensé à moi ?

CLARICE

Peut-être aurais-je pensé que quelque part au monde il y avait ces yeux verts, ce sourire.

Jean-Pierre la regarde en silence avec un sourire.

Pourquoi me regardes-tu ainsi ?

JEAN-PIERRE

Tu me plais, Clarice, tu es vraie, pure et solitaire.

CLARICE, *dans un appel.*

Jean-Pierre !...

JEAN-PIERRE, *inquiet et tendre.*

Que veux-tu ?

CLARICE

N'aie pas peur. Je ne te veux rien. J'avais oublié de te dire que mon père souhaite te parler au plus tôt. Peut-être est-il encore à la maison. Va vite.

JEAN-PIERRE

Ne viens-tu pas avec moi?

CLARICE

Il vaut mieux qu'il ne nous voie pas ensemble.

JEAN-PIERRE

A ce soir, mon beau diamant noir.

Il sort, elle le suit des yeux.

CLARICE

Imbécile! Aveugle!

Elle s'assied dans un coin de la scène et reste immobile.
Deux maçons portent une pierre.

PREMIER MAÇON

Ça n'avance pas.

DEUXIÈME MAÇON

Je me sens mou comme une femme.

PREMIER MAÇON

Donne-moi un coup de main. Je ne peux pas soulever cette pierre. Je n'ai plus de muscles.

Deuxième Maçon

Comment veulent-ils qu'on travaille, avec juste cette pâtée d'herbes dans le ventre ?

Le Chef de chantier

Vous n'avez qu'un mot à dire : le conseil fera suspendre les travaux.

Premier Maçon

Qu'est-ce que nous deviendrons, à nous promener les mains vides avec la faim aux entrailles, dans cette ville où il n'y a plus un brin de laine à tisser ?

Deuxième Maçon

Ce serait beau si le beffroi n'était pas achevé au printemps pour la venue du roi de France.

Le Chef

Alors, cessez de vous plaindre.

Premier Maçon

On ne se plaint pas. On disait qu'on ferait du meilleur ouvrage si on était mieux nourri.

Première Femme

Ils ne se pressent pas.

Vieillard

Ils ne sont jamais pressés.

ENFANT

Maman, je m'ennuie. Est-ce que je ne peux pas aller jouer ?

DEUXIÈME FEMME

Non, mon petit. Il faut que tu sois là quand on distribuera le pain.

L'ENFANT

Je m'ennuie.

DEUXIÈME FEMME

Sois sage. Dans un petit moment tu vas voir passer les députés des trois arts avec leurs belles bannières brodées.

VIEILLARD

Je voudrais bien savoir ce qu'ils vont décider.

UN AUTRE

Pour sûr, ils vont encore diminuer les rations.

Entre Jacques Van der Welde. Clarice l'aperçoit et se lève pour partir.

JACQUES

Je vous fais fuir ?

CLARICE

Je dois rentrer à la maison.

JACQUES

Ne me ferez-vous pas la grâce d'un instant d'entretien ?

CLARICE

Si vous le désirez.

Silence.

JACQUES

Vous connaissez la nouvelle ?

CLARICE

Quelle nouvelle ?

JACQUES

Le roi de France a promis de venir à notre secours au printemps.

CLARICE

Oui, je sais cela. (*Elle éclate brusquement de rire.*) Au printemps ! Nous serons tous morts depuis longtemps. Je sais qu'il ne reste pas pour six semaines de vivres dans les greniers.

JACQUES

Dans un instant le conseil va se réunir. Nous prendrons des mesures.

CLARICE

Peut-il faire pousser du blé sur les pavés ? Qu'allez-vous décider ?

JACQUES

Comment le saurais-je ?

CLARICE

Vous êtes un homme sans ambition, Jacques van der Welde. Si j'étais à la place de mon père ou à la vôtre, je ne permettrais pas que trente artisans me dictent la loi.

JACQUES

Nous avons chassé le duc pour que Vaucelles soit libre.

Un temps.

Nous aurons bientôt le plus beau beffroi de toutes les Flandres.

CLARICE

Ces pierres m'ennuient.

JACQUES

Je crains de vous ennuyer aussi.

Un temps.

Clarice, ne m'aimerez-vous jamais ?

CLARICE

Je ne crois pas à l'amour.

JACQUES

Si vous y consentiez, je saurais vous aimer.

CLARICE

Vous me prendriez dans vos bras, vous me presseriez sur votre cœur en me souriant avec vos grands yeux verts, et puis vous partiriez vers vos plaisirs.

JACQUES

Mes yeux sont gris.

CLARICE

Ils sont gris ! (*Elle rit.*) Cela ne change rien.

JACQUES

Je ne vous quitterai jamais. Je n'aime pas les plaisirs.

CLARICE

Moi, je les aime.

Un temps.

Je ne suis pas la femme qui convient à un échevin. Je ne ressemble pas à ma mère.

Cris d'horreur. Brouhaha. Un homme passe en courant. Il crie : « Un médecin, un médecin ! » Des hommes traversent le chantier, portant un corps.

JACQUES

Ne regardez pas.

CLARICE

Pourquoi ?

Jacques arrête deux maçons au passage.

JACQUES

Qu'est-il arrivé ?

PREMIER MAÇON

Il est tombé de l'échafaudage.

DEUXIÈME MAÇON

Il est tombé de faiblesse. Nous y passerons tous.

Ils sortent.

CLARICE

C'est bien fait.

JACQUES

Que dites-vous ?

CLARICE

C'est bien fait; ils sont plus obstinés que des fourmis. Bientôt les vers leur mangeront le cœur et ils s'amusent à entasser des pierres.

Entrent Louis d'Avesnes et François Rosbourg.

LOUIS

Qu'est-ce que cette robe, Clarice ? N'as-tu pas honte ? On pourrait habiller deux soldats avec le drap de ta jupe. Et je t'ai défendu de porter tes bijoux avant la fin du siège.

CLARICE

Faut-il que j'attende d'être morte pour qu'on me permette de vivre ?

LOUIS

Rentre à la maison. Je t'enfermerai dans ta chambre et tu n'en sortiras pas avant le départ des Bourguignons.

Clarice sort.

Lui avez-vous parlé ?

JACQUES

Elle ne veut pas m'entendre.

LOUIS

Je jure qu'elle n'aura pas d'autre mari que vous.

Un temps.

Pourquoi le chantier est-il vide ?

JACQUES

Un maçon est tombé de faiblesse du haut d'un échafaudage.

LOUIS

C'est le troisième accident depuis dimanche. Ces travaux sont trop durs pour des hommes mal nourris.

FRANÇOIS

Durs et inutiles. Qu'avons-nous besoin d'un beffroi ?

JACQUES

Ces hommes n'acceptent leurs souffrances que parce qu'ils ont les yeux fixés sur l'avenir.

Ne les obligeons pas à vivre dans le présent.

FRANÇOIS

Il faut arrêter ces travaux. Ce n'est pas le moment de gaspiller nos forces.

LOUIS

Nous ne pouvons prendre une si grave décision à la légère. Je convoquerai le chef du chantier et les maîtres maçons afin que nous délibérions avec eux.

Ils se taisent et écoutent les voix.

VOIX

Est-ce qu'ils viennent ?
Je ne vois personne.

L'ENFANT

C'est long. J'ai faim.

LA MÈRE

Tout le monde a faim.

UNE AUTRE FEMME

Ils ne vont pas venir.

UNE AUTRE

Ah ! je n'en peux plus.

JACQUES

Vous entendez ?

LOUIS

J'entends.

JACQUES

Que peut-on faire ?

LOUIS

Je ne sais pas.

FRANÇOIS

Il faut que d'ici deux heures une décision ait été prise.

LOUIS

Oui, il le faut.

FRANÇOIS

Il faut que d'ici deux heures nous ayons trouvé le moyen de tenir encore trois mois.

LOUIS

Il le faut. (*Long silence.*) Je ne vois aucun moyen.

JACQUES

Ni moi.

FRANÇOIS

Ni moi.

Entre Jean-Pierre.

JEAN-PIERRE

Maître d'Avesnes, on m'a dit que vous souhaitiez me voir.

LOUIS

Oui, nous avons à parler. Tu as rendu à la ville des services exceptionnels. Aussi est-ce

une récompense exceptionnelle que nous avons
décidé de t'offrir.

JEAN-PIERRE

Une récompense ? Je ne désire rien.

LOUIS

Nous voulons que tu gouvernes avec nous
cette commune.

JEAN-PIERRE

Que je gouverne, moi ?

LOUIS

Nous demanderons aux députés de créer
pour toi la charge de préfet aux vivres. Ils y
consentiront car ils savent que ton aide peut
nous être utile. Viens au conseil avec nous.

JEAN-PIERRE

Je ne peux pas accepter.

LOUIS

Je sais que tu as toujours refusé de partici-
per au pouvoir, mais aujourd'hui tu dois accepter. Jamais la victoire n'a été plus sûre, ni
plus impossible. Nous serons délivrés au printemps. Mais comment tenir pendant trois mois
alors qu'il ne reste que pour six semaines de
vivres dans nos greniers ? Tu ne peux pas re-
fuser de délibérer avec nous.

JEAN-PIERRE

Je n'entends rien aux affaires publiques.

LOUIS

Je sais que nous aurons profit à entendre tes avis. Et puis...

JEAN-PIERRE

Et puis ?

LOUIS

J'ignore encore quelles mesures nous serons obligés de prendre; mais elles seront dures. Le peuple a confiance en toi, il t'aime; il acceptera de toi mieux que d'aucun autre une aggravation de ses maux.

JEAN-PIERRE

Demandez-moi de traverser encore une fois le camp bourguignon. Demandez-moi de passer la mer à la nage ou de retourner à pied à Paris, mais ne me demandez pas de partager avec vous le pouvoir.

LOUIS

Pourquoi ?

JEAN-PIERRE

S'il fallait que je pense : c'est moi qui condamne ces vieillards et ces femmes à mendier leur pain, je suis responsable de leurs souffrances, mon cœur éclaterait. Je ne veux pas

leur mesurer chaque jour leur ration d'herbes.
Je ne serais pas complice du destin qui les
écrase.

LOUIS

Si j'avais croisé les bras et courbé la tête devant le bailli du duc, le malheur de cette ville
ne serait-il pas plus grand ?

JEAN-PIERRE

Comment mesurer la souffrance et la joie ?
Peut-on comparer le poids d'une larme au
poids d'une goutte de sang ? Je souhaite que
demain les hommes de Vaucelles soient libres
et prospères. Mais ces enfants qui sont morts
de faim aujourd'hui, nul ne leur rendra jamais
la vie. Je garderai mes mains pures.

LOUIS

Et qu'importe la couleur de nos mains et la
paix de nos cœurs ? Avant notre révolte, les
hommes se traînaient comme des bêtes dans la
misère et la peine. Ce n'est pas trop que de
sacrifier quelques vies pour que désormais la
vie ait un sens.

JEAN-PIERRE

Je ne veux pas payer avec le sang les larmes
et la sueur des autres.

LOUIS

Soit. Nous nous passerons de toi.

Jean-Pierre s'éloigne. Un cortège, avec des bannières, arrive par le fond et monte l'escalier de l'Hôtel de Ville.

La Mère

Regarde les belles bannières dorées.

Une Femme

Ah ! voilà les maîtres tisserands !

Un Vieillard

Qu'est-ce qu'ils vont décider ?

Une Femme

Peut-être on nous distribuera les réserves secrètes.

Une autre Femme

Il n'y a pas de réserves secrètes.

Une Autre

Alors, que peuvent-ils faire ?

Louis

Allons. Les députés des trois arts sont arrivés.

Jacques

Que Dieu nous inspire !

Ils se dirigent vers l'Hôtel de Ville.

L'Enfant

Les voilà, les voilà !

VOIX

Les voilà, les voilà ! Ils apportent le pain !
Nous allons manger. Enfin ! Ah ! je n'en pouvais plus !

Deux hommes portant des pains traversent la scène.

UN ENFANT

Les voilà !

PREMIER MAÇON

Que portent-ils ?

DEUXIÈME MAÇON

On dirait du pain.

PREMIER MAÇON

Que portez-vous là ?

Les hommes poursuivent leur chemin.

PREMIER MAÇON

Hep ! Entendez-vous ? Que portez-vous là ?

Les maçons entourent les hommes et tâtent les sacs.

LE PORTEUR

Laissez-nous passer. C'est le pain des indigents.

UN MAÇON

Nous mourons de faim et on nourrit les indigents !

PREMIER MAÇON

Donne-nous ce pain. Ceux qui ne travaillent pas n'ont pas besoin de manger.

LE PORTEUR

A l'aide ! Au secours !

Ils se battent.

LOUIS

Bas les mains. Volerez-vous le pain des vieillards, des enfants, des femmes ?

PREMIER MAÇON

Nous avons besoin d'être forts. Eux, à quoi servent-ils ?

Silence. François met la main sur le bras de Louis.

FRANÇOIS

Oui. A quoi servent-ils ?

Ils se regardent en silence.

TROISIÈME TABLEAU

Dans la maison de Louis d'Avesnes. Grande
pièce au rez-de-chaussée. Catherine, Jeanne,
Georges, Clarice. Au fond de la pièce, de
grands chaudrons. Par la porte entr'ouverte,
Catherine jette dehors une vieille.

CATHERINE

Il n'y a rien à manger. Je vous dis qu'il n'y
a plus rien à manger.

Elle referme violemment la porte.

VOIX DEHORS

Ouvrez ! ouvrez ! On n'a pas mangé depuis
deux jours; ayez pitié de nous. Ouvrez ! nous
n'en pouvons plus. On n'est pas des bêtes. Ouvrez ! Nous allons tous crever !

Coups de poings dans la porte.

GEORGES

Qu'ils crèvent donc ! bon débarras !

CATHERINE

Allez-vous-en. Je n'ai plus rien à vous donner.

VOIX

A manger. Par pitié. A manger.

CATHERINE

Pourquoi Louis ne rentre-t-il pas ?

JEANNE

Tante Kate, que vont-ils décider ?

CATHERINE

Le sais-je ?

GEORGES

Il faut des actes !

CATHERINE

Mais quels actes ?

GEORGES

Des actes.

VOIX

Ouvrez. Nous voulons manger.

CLARICE

Faites-les taire ! Est-ce qu'ils ne peuvent pas penser à autre chose qu'à manger ?

JEANNE

Clarice !

CLARICE

Faites-les taire !

CATHERINE

Que leur dire ? Il faut attendre que ton père
soit de retour.

CLARICE

Attendre ! Encore attendre !

CATHERINE

Attendre, cela devrait être facile. Rester là,
simplement. Laisser le temps couler en se rete-
nant de vivre.

*Elle a un mouvement de lassitude, puis
elle se reprend, va vers le fond de la
pièce et saisit un chaudron.*

Aide-moi Clarice.

Elles sortent emportant le chaudron.

GEORGES

Pauvres sottes ! Il fallait ranger ces chaudrons avant qu'ils ne soient vides.

JEANNE

Pouvait-on laisser ces pauvres gens mourir
de faim ?

GEORGES

Si j'étais le maître, j'aurais balayé depuis

longtemps cette vermine. (*Un temps.*) Est-il vrai que mon père a proposé ce matin à ton frère la charge de préfet aux vivres ?

JEANNE

C'est vrai. Jean-Pierre l'a refusée.

GEORGES

Il la lui a proposée ! Ne suis-je pas son fils ?

JEANNE

Justement. Vous ne pouvez gouverner tous deux ensemble.

GEORGES

Qui oserait s'en plaindre ?

JEANNE

Prends patience. Dans un an le conseil nommera de nouveaux échevins. Tu succéderas à ton père.

GEORGES

Un an ! Mon heure sera passée ! Vaucelles sera perdue ou sauvée; c'est aujourd'hui, dans la famine, dans la peur, qu'elle est à prendre. Ah ! sentir toute cette force en moi et n'en rien faire. J'en crèverai !

JEANNE

Pourquoi ne fais-tu rien ?

GEORGES

Je monte la garde lorsque c'est mon tour.

JEANNE

Tu peux travailler au beffroi.

GEORGES

Je n'ai pas l'âme d'un maçon. Bâtir, tisser, est-ce agir ? Je veux bouleverser le monde jusque dans ses fondements.

Un temps.

Eh bien ! dis quelque chose !

JEANNE

Que puis-je dire ?

GEORGES

Tu ne m'aimes pas, n'est-ce pas ?

JEANNE

Est-ce que tu te soucies de mon amour ?

GEORGES

Peut-être.

Un temps.

Jean-Pierre a-t-il revu ma sœur ?

JEANNE

Oui, ce matin.

GEORGES

Sont-ils restés seuls ensemble ?

JEANNE

Pourquoi me poses-tu ces questions ?

GEORGES

Clarice est très belle aujourd'hui ! Elle s'est parée comme une image et jamais ses yeux n'ont été si brillants.

JEANNE

Elle est belle.

GEORGES

Elle aime Jean-Pierre, n'est-ce pas ?

JEANNE

Mais, je ne sais pas.

GEORGES

Qu'y a-t-il entre eux ?

JEANNE

Je ne sais pas.

GEORGES

Tu mens !

JEANNE

Je ne te dirai rien.

GEORGES

Je t'obligerai à parler.

Il lui tord les poignets.

JEANNE

Tu me fais mal.

GEORGES

Je t'obligerai à parler.

JEANNE

Je ne te dirai rien. Oh !

Elle pousse un cri étouffé. On frappe. Georges lâche Jeanne.

JEAN-PIERRE

Ouvrez. C'est Jean-Pierre.

Jeanne va ouvrir. Jean-Pierre entre et quelques femmes essaient d'entrer aussi.

LES FEMMES

Donnez-nous à manger !

GEORGES, *tire son épée et s'élance.*

Arrière ! Arrière tous ! Videz la place ou je la nettoie à coups d'épée !

Il referme la porte et se tourne vers Jean-Pierre.

Que viens-tu chercher ici ? Une robe d'échevin ?

JEAN-PIERRE

On m'a dit que tante Kate souhaitait me voir.

JEANNE

Je vais la prévenir.

Elle sort.

GEORGES

Te voilà donc le sauveur de Vaucelles !

JEAN-PIERRE

J'ai fait ce que j'avais à faire.

GEORGES

Il paraît qu'aucune récompense ne t'a paru digne de tes services ?

JEAN-PIERRE

Tu n'as pas besoin de me haïr : je ne suis pas ambitieux.

GEORGES

Garde-toi de le devenir.

Un silence.
Entre Catherine.

CATHERINE, *à Georges.*

Laisse-nous, je te prie.

Georges sort.

(*A Jean-Pierre.*) Assieds-toi. Est-il vrai que tu as refusé ce matin la charge de préfet aux vivres ?

JEAN-PIERRE

C'est vrai.

CATHERINE

Es-tu si paresseux ou si lâche ?

JEAN-PIERRE

Je ne suis ni assez léger, ni assez présomptueux pour consentir à gouverner les hommes.

CATHERINE

Veux-tu rester toujours un aventurier ?
Est-ce pour cela que je t'ai élevé avec tant de
soin ?

JEAN-PIERRE

Je sais tout ce que je vous dois. Vous avez
été pour ma sœur et pour moi plus qu'une
mère. Mais permettez qu'à présent je dirige
ma vie sans secours.

CATHERINE

Qui pourrait te voir sans impatience gaspiller tes dons ? Tu as une tête, un cœur, deux
mains, ne veux-tu rien en faire ?

JEAN-PIERRE

Je souhaiterais plutôt couper ces mains, ar-
racher ce cœur; je vis, je respire et déjà cela
suffit pour que je me sente criminel. Ah ! si
je pouvais m'effacer du monde...

CATHERINE

Mais tu ne peux pas.

JEAN-PIERRE

Je peux tout au moins essayer de ne pas
peser sur la terre.

*Catherine se lève et conduit Jean-Pierre
à la fenêtre.*

CATHERINE

Regarde, que vois-tu ?

JEAN-PIERRE

Je vois le beffroi, un morceau de l'Hôtel de ville, des toits.

CATHERINE

J'ai posé la première pierre de ce beffroi. L'étendard qui flotte sur l'Hôtel de ville, je l'ai cousu de mes mains. Ne connaîtras-tu jamais cette joie ? Jeter les yeux autour de toi et penser : ceci est mon œuvre.

JEAN-PIERRE

Je vois aussi des femmes et des enfants qui errent dans les rues en pleurant de faim.

CATHERINE

Quand les cloches du beffroi sonneront la victoire, ils auront vite oublié leurs maux. (*Un temps.*) Sans nous, ce monde serait sans visage; il nous appartient de le façonner de nos mains.

JEAN-PIERRE

J'admire que vous osiez tailler, rogner, construire dans des matériaux de chair vive.

CATHERINE

Je veux construire du bonheur.

JEAN-PIERRE

Vous le voulez. Et savez-vous ce que vous
faites ? Il y a tant de menaces cachées dans
chacun de nos gestes, dans chacune de nos paroles; nos actes vont éclater loin de nous sous
des figures inconnues; jamais je n'aurai l'audace de jeter en travers d'une vie étrangère le
poids de ma volonté. (*Un temps.*) Jeanne
n'aime pas votre fils.

CATHERINE

C'est une enfant. Elle connaîtra plus tard
que j'ai agi pour son bien.

Elle s'assied.

Tu as si peur d'oser un geste ou un mot que
tu laisses le bonheur se faner près de toi au lieu
de le cueillir. T'a-t-on dit que Jacques van der
Welde souhaite épouser Clarice ?

JEAN-PIERRE

Non.

CATHERINE

Son père tient à ce mariage.

Silence.

Pourquoi ne veux-tu pas occuper dans la
ville la place que tu mérites ? C'est à toi que
je donnerais Clarice.

JEAN-PIERRE

Me la donner ? Pensez-vous que je consen-

tirais à l'enfermer dans ma maison et à lui
dire : voilà que je suis toute ta part sur terre
Je n'ai pas l'âme d'un geôlier.

CATHERINE

L'amour n'est pas une prison.

JEAN-PIERRE

Tout serment est une prison.

CATHERINE

Te crois-tu libre, toi qui n'es capable ni
d'agir ni d'aimer.

JEAN-PIERRE

Je ne veux ni mentir à Clarice ni me mentir à moi-même. Chacun vit seul, et meurt
seul.

CATHERINE

Non. Si un homme et une femme se sont je-
tés d'un même élan vers un même avenir, dans
l'œuvre qu'ils ont construite ensemble, dans les
enfants qu'ils ont engendrés, dans ce monde
tout entier qu'a modelé leur volonté commune,
ils se retrouvent confondus d'une manière in-
dissoluble.

JEAN-PIERRE

Clarice n'est pas de votre espèce. Elle est
étrangère à ce monde et n'attend rien de

l'avenir. Il lui suffit d'être elle-même. Je n'ai rien à recevoir d'elle, et rien à lui donner.

CATHERINE

Es-tu sûr de savoir ce que pense Clarice ?

Clarice entre vivement.

CLARICE

Qui parle de moi? Que complotez-vous? Je vous défends de me mêler à vos disputes.

CATHERINE

Je prévenais Jean-Pierre que je t'interdis désormais de le recevoir et de lui parler. Il n'est ni ton fiancé, ni ton frère, et vous n'êtes plus des enfants. *Cris au dehors.*

VOIX

Nous ne voulons pas crever comme des chiens ! Ouvrez ! Ouvrez !

Jeanne et Georges entrent en courant.

JEANNE

Les voilà revenus !

GEORGES

Je leur ferai rentrer leurs cris dans la gorge.

Il décroche un arc, ouvre la fenêtre et vise.

JEANNE

Ne tire pas !

Elle s'élance et détourne son bras.

GEORGES

Ah ! garce ! tu m'as fait manquer mon coup !

CATHERINE

Pose cet arc.

GEORGES

Faut-il les laisser enfoncer la porte et saccager la maison ?

CATHERINE

Pose cet arc.

> *Georges vise. Jeanne se cache contre l'épaule de Catherine. Jean-Pierre fait un pas vers Georges, mais Clarice l'arrête.*

CLARICE

Comme c'est laid un homme qui a peur.

GEORGES, *se retournant vers elle.*

J'ai peur, moi ?

CLARICE

Tu as peur d'un troupeau de femmes et de vieillards.

GEORGES

C'est bon. Qu'ils aboient tout leur saoul !
> *Il va vers la porte. Clarice rit.*

GEORGES

Pourquoi ris-tu ?

CLARICE

Je ris parce que tu as jeté ton arc.

GEORGES

Tu m'as demandé de le jeter.

CLARICE

Je ne t'ai rien demandé.

GEORGES

Je te défends de rire.

CLARICE

Ne crie pas. Quand tu cries, les veines de ton front se gonflent et tu deviens rouge.

GEORGES

Un jour je t'étranglerai !

Il sort en claquant la porte.

JEANNE

Il les aurait tués !

CATHERINE

Ne pleure pas. Il est jeune encore. Il changera, tu le changeras.

JEANNE

Il ne m'aime pas.

CATHERINE

Il faut une femme telle que toi à ses côtés.

JEANNE

Je ne suis pas assez forte.

CATHERINE

Tu es forte, sinon crois-tu que je t'aurais choisie pour occuper un jour ma place dans cette maison et dans cette ville ?

JEANNE

Tante Kate, je ne serai pas heureuse avec lui.

CATHERINE

Il y a plusieurs espèces de bonheurs.

JEAN-PIERRE

Ce n'est pas à vous de choisir le sien. (*A Jeanne.*) N'écoute que ton cœur, ma petite sœur. Aucun serment ne te lie.

CATHERINE, *se détache de Jeanne.*

Aucun serment.

Jeanne hésite. Un temps.

Tu es libre, Jeanne.

JEANNE

Vous savez bien que je ferai ce que vous attendez de moi.

CRIS

Du pain ! Ouvrez, ouvrez !

Coups dans la porte.
Catherine va vers la porte.

TROISIÈME TABLEAU

JEANNE

Que faites-vous ?

CATHERINE

Ils veulent entrer : qu'ils entrent !

Elle ouvre.

Entrent des femmes, des vieillards, des enfants.

Entrez, fouillez la maison de la cave au grenier, vous ne trouverez pas un grain de blé ni une poignée de son.

Les gens s'arrêtent, intimidés.

UNE FEMME

Est-ce qu'on va nous laisser mourir de faim?

UN VIEILLARD

Pourquoi n'ouvre-t-on pas le magasin aux vivres ?

CATHERINE

Des mesures vont être prises.

UNE FEMME

Quelles mesures ?

UNE AUTRE

Qu'on nous donne du pain.

CATHERINE

Vous savez quel sort vous attend si le duc entre dans la ville ?   *Silence.*

Alors, acceptez de souffrir. Rentrez chez vous. Le conseil est en train de délibérer. Attendez ses décisions avec patience.

UN VIEILLARD
Que vont-ils décider ?

CATHERINE
Vous le saurez bientôt.

UNE FEMME
Est-ce que nos malheurs vont finir ?

CATHERINE
Ils finiront. Patience. Si vous savez attendre, la délivrance viendra.

Elle ferme la porte.

Attendre ! Ah ! si l'on pouvait s'endormir...

Elle défaille.

Jeanne et Jean-Pierre s'élancent et la soutiennent.

JEANNE
Tante Kate, vous êtes à bout. Vous n'avez rien mangé depuis hier.

Ils sortent tous trois. Clarice les suit des yeux.

CLARICE
Manger, encore manger !

Elle va vers un miroir, approche son vi-

sage et se regarde longuement. Rentre
Jean-Pierre. Il s'approche de Clarice et
l'embrasse.

JEAN-PIERRE

Comme tu es belle ! Toutes les femmes sont
devenues si laides. Comment fais-tu pour rester pareille à toi-même ?

CLARICE

Ils ne viendront pas à bout de moi.

JEAN-PIERRE

Merveilleuse Clarice. Comme j'aime que tu
existes.

Il prend sa main. Elle la retire. Georges
entre sans être vu, et se cache pour les
espionner.

CLARICE

Mais tu n'as pas d'amour pour moi, Jean-
Pierre ?

JEAN-PIERRE

N'avons-nous pas convenu que ce mot n'a
pas de sens ?

CLARICE, *elle s'assied.*

N'aie crainte. Je ne t'aime pas non plus. Je
posais cette question par scrupule. Que penses-
tu de Jacques van der Welde ?

JEAN-PIERRE

C'est vrai que ton père veut te marier avec lui ?

CLARICE

C'est vrai. Et il est vrai aussi que je vais l'épouser.

JEAN-PIERRE

Jacques van der Welde. Mais c'est un métier à tisser, ce n'est pas un homme.

CLARICE

C'est un homme qui ose m'aimer.

JEAN-PIERRE

Il ose promettre et mentir. Depuis quand crois-tu les paroles ? Tu appuyais ta main contre ma bouche et tu me regardais avec ce visage muet et nu qui m'est si cher...

CLARICE

Tais-toi.

JEAN-PIERRE

As-tu oublié nos silences ? Tu leur préfères le bavardage des serments ?

CLARICE

Il fera de moi sa femme et sa vie sera ma vie.

JEAN-PIERRE

Il mettra une alliance à ton doigt et il y aura

un seul toit sur vos têtes. Mais ce sera toujours ton cœur dans ta poitrine, et dans sa tête ses pensées à lui, ses pensées de drapier et d'échevin.

CLARICE

Et de toi, que puis-je attendre ?

JEAN-PIERRE

Rien.

CLARICE

Alors, va-t'en.

JEAN-PIERRE

Adieu, Clarice.

Il sort. Elle éclate en sanglots. Entre Catherine, suivie de Jeanne.

CATHERINE

Tu pleures ?

Silence.

Je t'avais défendu de lui parler.

CLARICE

Laissez-moi.

CATHERINE

Crois-tu que je ne t'ai pas entendu gémir toutes ces nuits ? Il est parti : tu pleures. Il revient : tu pleures. Est-ce ma fille, cette chair à souffrance ?

CLARICE

Je ne souffre pas. Je ne pleure pas. Je ne le reverrai plus jamais.

Un temps.

Je vais avoir un enfant de lui.

GEORGES

Chienne ! Putain !

CATHERINE

Clarice ! Est-ce qu'il t'aime ?

CLARICE

Je le déteste.

GEORGES

Tu me le paieras !

Il la saisit aux épaules.

CLARICE

Ne me touche pas.

GEORGES

Avec lui tu n'étais pas si farouche. Il a soulevé ta robe, il a passé ses mains sur ton corps et ce visage arrogant riait de plaisir.

CATHERINE

Tais-toi.

GEORGES

Tu fermais les yeux, tu glissais ta langue

66

dans sa bouche, tu gémissais sous ses caresses. Putain !

CLARICE

Lâche-moi. Tu sens le soldat. Je ne peux pas supporter cette odeur.

GEORGES

Depuis quand est-il ton amant ? Combien de nuits as-tu passées dans ses bras ? (*Il la secoue.*) Réponds.

CLARICE

Je ne te répondrai pas.

CATHERINE

Je t'ordonne de la laisser. Elle n'a pas de comptes à te rendre.

Un temps. Il la lâche.

GEORGES

Vous avez raison. C'est à mon père de régler cette affaire. Il saura la faire parler.

CATHERINE

Georges ! Ne dis rien à ton père.

GEORGES

Tu ne lèveras pas si haut la tête. Nous t'entendrons chanter, ma belle.

CATHERINE

Je te défends de rien lui dire.

JEANNE

Georges ! pour l'amour de moi ! Il la tuera.

CLARICE

Qu'il me batte ! Qu'il me chasse ! Qu'il me tue ! Je me suis bien moquée de vous.

GEORGES

Tu ris, putain. Il te fera passer le goût du rire.

Il la secoue violemment.

JEANNE

Lâche-la. Tu lui fais mal ! Lâche-la.
La porte s'ouvre. Entre Louis d'Avesnes.

LOUIS

Que de bruit !

CATHERINE

Te voilà enfin ! Comme tu as l'air fatigué !
Elle l'embrasse.

LOUIS

Pourquoi tout ce bruit ?

JEANNE

Georges, tais-toi.

GEORGES

Votre fille s'est fait engrosser par Jean-Pierre Gauthier !

Silence.

LOUIS

Eh bien ! Ils n'ont qu'à s'épouser.

Il s'assied.

CLARICE

Je ne veux pas l'épouser; je jetterai son enfant dans la rivière.

LOUIS

Alors ne l'épouse pas. Pourquoi pleures-tu ?

GEORGES

Mon père, à quoi pensez-vous ? Il faut l'enfermer dans un couvent.

LOUIS

Je ne veux pas qu'on la tourmente.

Silence.

CATHERINE

Tu me fais peur. (*Elle le regarde.*)

Un temps.

Qu'a décidé le conseil ?

Silence.

Vous ne rendez pas la ville ?

LOUIS

Non.

CATHERINE

Que ferez-vous ?

LOUIS

Nous demanderons du secours à Bruges.

CATHERINE

Bruges nous a toujours refusé son aide.

LOUIS

Je sais.

CATHERINE

Alors ?

LOUIS

De quoi t'inquiètes-tu ? Et pourquoi Clarice
pleure-t-elle? Pourquoi avez-vous l'air si tristes?

CATHERINE, *aux trois enfants*

Laissez-nous.

Ils sortent.

Dis-moi la vérité.

Silence.

Tu sais bien qu'aucun secours ne viendra
avant le printemps.

LOUIS

Ne me demande rien, Catherine.

CATHERINE

Y a-t-il jamais eu un secret entre nous ?

Silence.

Si tout est perdu, s'il faut mourir en tentant
une sortie sans espoir, ne crains pas de me le
dire : je suis prête.

LOUIS

Ce serait facile de mourir en te serrant dans
mes bras.

CATHERINE

Pourquoi détournes-tu les yeux ? On dirait
que tu as peur de me voir.

LOUIS

Laisse-moi. Ne me demande rien.

CATHERINE

Quel que soit l'avenir, je veux l'affronter
avec toi. Parle.

LOUIS

Dès que j'aurai parlé, nous serons séparés
pour toujours.

Silence.

Le conseil a décidé de se débarrasser des bouches inutiles. Demain, avant le coucher du so-
leil, on chassera dans les fossés les infirmes, les
vieillards, les enfants. **Les femmes.**

RIDEAU

ACTE II

QUATRIEME TABLEAU

Les trois échevins. Le chef de chantier. Trois
maçons

LOUIS

Ainsi, ces hommes murmurent parce qu'ils
ont faim, non parce qu'ils se refusent à travailler. Ils murmureraient davantage encore si
nous les condamnions à une attente stérile ?

LE CHEF DE CHANTIER

C'est cela, c'est exactement cela.

LOUIS

Vous êtes d'avis de poursuivre les travaux ?

PREMIER MAITRE MAÇON

Ce serait trop dur d'avoir tant peiné, d'avoir
donné notre sueur et notre sang pour que le
beffroi ne soit pas achevé à l'arrivée du roi de
France !

DEUXIÈME MAÎTRE MAÇON

Si on ne veut pas que le beffroi s'achève, il ne fallait pas nous demander de le commencer.

LOUIS

Il me semble que cette question est donc tranchée.

JACQUES

Sans aucun doute.

FRANÇOIS

Pardonnez-moi. Il faudrait savoir si ces hommes sont les meilleurs juges de ce qui leur convient.

JACQUES

Qui donc en jugerait sinon eux ?

FRANÇOIS

Le peuple s'est remis entre nos mains. Il nous appartient de le guider et non de lui obéir en aveugles.

JACQUES

Il connaît la situation aussi bien que nous, et même davantage puisqu'il l'éprouve dans sa chair; nous n'avons rien à faire qu'à respecter sa décision.

FRANÇOIS

Croyez-vous que ces hommes soient infaillibles ? Ils ne savent pas où est leur bien.

LOUIS

Ils le savent. Aucune erreur n'est possible car leur bien est précisément ce qu'ils choisissent comme leur bien; il n'en existe aucun autre.

FRANÇOIS

A quoi ce beffroi est-il utile ? Si nous avons chassé le duc, si nous avons pris le pouvoir, c'est pour administrer notre ville avec une sage économie. Nous ne devons plus permettre que des hommes consument leurs vies en de vaines entreprises. Des halles, des entrepôts, des ateliers, voilà ce que nous avons à construire. Désormais, il faut que chaque geste serve, que chaque souffle serve et chaque battement de cœur.

LOUIS

Vaucelles n'est pas faite pour servir. Il n'y a rien qui soit pour elle plus haut qu'elle-même. Si elle souhaite construire ce beffroi, qu'elle le construise. C'est sa volonté qui commande.

Entre Catherine.

CATHERINE

Est-ce vrai ? Vous vous souciez d'un édifice de pierre, aujourd'hui ?

JACQUES

Nous serions heureux d'entendre vos avis.

CATHERINE

Quels hommes êtes-vous donc ?

LOUIS

Retirez-vous.

Les maçons sortent.

Elle sait.

CATHERINE

Je sais. Ne baissez pas les yeux; ce serait trop facile. C'est moi qui suis là, et je sais.

Silence.

Je m'asseyais sur cette chaise et vous me demandiez conseil : vous cherchiez l'espoir dans mes yeux : pour vous et moi le même espoir. Nous disions : nos souffrances, notre victoire. Nous n'avions qu'un seul avenir. Et soudain, me voilà seule, en face de vous; vous me jetterez dans un fossé où l'on jette les cendres froides, les épluchures, les os, les vieux chiffons. Mais regardez-moi donc en face !

LOUIS

Je te regarde, Catherine. Cette commune, c'est ton œuvre autant que la nôtre, et tu veux comme nous son triomphe; nous pouvons te demander ta vie pour elle.

CATHERINE

Vous ne demandez rien. Vous m'avez condamnée.

LOUIS

Pourquoi nous hais-tu ? Quand il le faudra, nous accepterons de mourir.

CATHERINE

Suis-je libre d'accepter ? Que ferez-vous de moi si je refuse ?

Silence.

Il ne m'est plus permis de rien vouloir. J'étais une femme et je ne suis plus qu'une bouche inutile. Vous m'avez pris plus que la vie. Il ne me reste que ma haine.

JACQUES

Fallait-il décider d'ouvrir nos portes aux assiégeants ?

CATHERINE

Nous pouvions nous jeter contre l'armée du duc, mettre le feu à nos maisons et mourir tous ensemble.

LOUIS

Vaucelles doit vivre ! (*Un temps.*) Quelque chose s'est accompli ici qui n'était encore arrivé nulle part. Une ville a chassé son prince; des hommes ont choisi de devenir libres et de vouloir leur bonheur. Et les autres villes de

Flandres, de France et de Bourgogne fixent
sur elle des yeux pleins d'espoir. Il nous faut
la victoire.

CATHERINE

Vos femmes, vos pères, vos enfants seront
morts et Vaucelles vivra ! N'étions-nous pas
sa chair et son sang ? Peut-on nous retrancher
comme on coupe une main pourrie ?

Elle appelle.

Jeanne, Clarice !

Entrent Jeanne et Clarice.

Approchez. Regardez ces hommes. Ils se sont
réunis avec trente autres hommes et ils ont
dit : nous sommes le présent et l'avenir, nous
sommes la ville entière, nous seuls existons.
Nous décidons que les femmes, les vieillards,
les enfants de Vaucelles ne sont plus que des
bouches inutiles. Ils seront conduits demain
hors de la ville et condamnés à mourir de faim
et de froid dans les fossés.

Silence.

*Jeanne se jette dans les bras de Cathe-
rine.*

CLARICE

Voilà donc ce que vous avez trouvé ? Vous
allez nous assassiner afin de manger à votre
faim !   *Un temps.*

(*A Jacques.*) Est-ce là ce que vous appeliez aimer ?

Silence.

LOUIS

Il est vrai que nous voilà devenus des bourreaux. Certes le fer des lances, les flammes de la mort nous seraient plus cléments que l'horreur qui sera désormais notre lot. Mais puisqu'il faut ou mourir innocents ou vivre en criminels, nous choisissons le crime parce que nous choisissons la vie.

CATHERINE

Vous choisissez pour vous la vie, pour nous la mort.

LOUIS

Il ne s'agit ni de vous, ni de nous : il s'agit de notre commune et de l'avenir du monde tout entier.

CATHERINE

Les hommes de demain ne seront-ils pas faits de la même chair que nous ? Si nous ne sommes à vos yeux qu'un bétail vorace, que sont-ils ? Pourquoi nous sacrifier à eux ?

LOUIS

Choisir la vie, c'est toujours choisir l'avenir. Sans cet élan qui nous porte en avant nous ne serions rien de plus qu'une moisissure à la surface de la terre. Qu'importe alors que nos cœurs battent ou se taisent. Réduire Vaucelles en cendres, réduire l'avenir en cendres, ce serait aussi réduire en cendres notre passé et renier tout ce qui fut nous-mêmes.

Un temps.

JEANNE

Non ! non ! c'est trop injuste.

CATHERINE

Nous ne mendierons pas leur pitié.

Elle l'emmène. Clarice les suit lentement.

JACQUES

Clarice !

Clarice s'arrête.

Je voudrais lui parler.

LOUIS

Soit. Parlez-lui.

Louis et François sortent. Jacques s'approche de Clarice.

JACQUES

Cette nuit quand tout le monde dormira, glissez-vous hors de votre chambre; venez frapper à la porte de ma maison : la petite porte qui donne sur la ruelle. Frappez deux coups. Demain les gendarmes fouilleront la

ville. Mais personne n'osera me soupçonner.
Vous serez en sûreté jusqu'à la fin du siège.

Silence.

Je jure sur la Vierge de vous respecter
comme une sœur bien-aimée.

Silence.

Eh bien ! Pourquoi ne répondez-vous rien ?

CLARICE

Attendez-vous que je tombe à vos genoux
en vous baisant les mains ? Gardez vos ca-
deaux.

JACQUES

Préférez-vous mourir de froid et de faim ?

CLARICE

Je peux choisir ma mort. Allez-vous-en.

Mouvement de Jacques.

JACQUES

Je vous attendrai toute la nuit.

*Il sort. Elle ferme la porte derrière lui,
décroche un poignard du mur, l'exa-
mine, et le remet vivement à sa place
en entendant des pas. Entre Georges.*

GEORGES

Tu es seule ?

CLARICE

Oui.

GEORGES

Jeanne et mère sont en prières. Elles m'ont appris la décision du conseil. Ne vas-tu pas prier ?

CLARICE

Non.

GEORGES

Tu n'as pas peur ?

CLARICE

De quoi t'inquiètes-tu ?

GEORGES (*il s'approche d'elle.*)

Il fait froid la nuit dans les fossés. Il y a des bêtes gluantes qui rampent sous les herbes.

CLARICE, *se reculant un peu.*

Je n'ai pas peur.

GEORGES

Tu es belle, Clarice. Tu es vivante et chaude. Et bientôt tu pourriras au fond de la terre. Les vers mangeront ces douces lèvres.

Il l'enlace.

CLARICE

Georges ! Tu es mon frère !

GEORGES

Je suis un homme qui te désire, Clarice.

CLARICE

Tais-toi !

GEORGES

Pourquoi me taire ! Je te désire, et tu le sais.

CLARICE

Oui, je le sais. J'ai senti traîner sur moi ton regard trouble et tes sales pensées. Je sais aussi que la faim, la soif, la mort me seront plus faciles à supporter que ce baiser que tu m'as infligé.

Elle s'essuie la bouche.

GEORGES

Insulte-moi ! Foudroie-moi de tes yeux pleins de haine ! Ce matin encore j'avais honte, mais maintenant tu vas mourir; ta langue n'est plus qu'un morceau de chair rouge qui deviendra toute noire et tombera en lambeaux. Ces yeux vont se fondre en eau, leur regard ne me brûle plus.

CLARICE

Faudra-t-il que je te crache au visage ?

Elle crache.

GEORGES

Qu'est-ce que cela ? Rien qu'un peu de salive sur ma joue.

Il la saisit.

Tu vas mourir, et toutes tes pensées mourront avec toi. Elles sont déjà mortes. Je suis seul avec ton corps, seul avec mon désir.

CLARICE

Georges !

> *Entre Louis. Georges lâche Clarice qui s'enfuit.*

LOUIS

Sors de cette maison. Tu n'es plus mon fils.

GEORGES

Eh bien ! quoi! N'allez-vous pas l'assassiner?

LOUIS

Oses-tu me regarder en face ? Sors ou je t'abats comme un chien !

GEORGES

Pourquoi ces reproches hypocrites ? Vous avez brisé vous-même le vieux joug. Désormais, il n'y a plus ni bien ni mal. La force commande.

LOUIS

Tais-toi !

> *Un temps.*

J'ai mis la force au service du bien, le bien de ma ville, et le bien du monde.

GEORGES

Vous avez servi vos désirs.

LOUIS

Mes désirs ! J'ai sacrifié plus que ma vie.

GEORGES

Vous avez choisi vous-même vos sacrifices.
Je choisis mon plaisir.

LOUIS

Quoi ? Est-ce à moi de me justifier devant
toi ? Va-t'en.

*Georges sort. Louis marche de long en
large. Il appelle très bas :*
Catherine !

Il appelle plus fort, avec angoisse :
Catherine !

CATHERINE *entre*

Tu m'appelais ?

Ils se regardent. Un temps.

LOUIS

Non !

CINQUIÈME TABLEAU

*Même décor qu'au tableau II. Le chantier est
vide. C'est le matin. Des gens se dirigent vers
l'Hôtel de Ville. Passent trois vieillards.*

PREMIER VIEILLARD
Qu'est-ce qu'ils vont encore avoir inventé ?

DEUXIÈME VIEILLARD
Rien de bon, rien de bon.

TROISIÈME VIEILLARD
Marchez plus vite. Toutes les bonnes places seront prises. Nous n'entendrons rien.
                    Passent deux marchands.

PREMIER MARCHAND
Nous ne voulons pas rendre la ville; donc
nous ne la rendrons pas. Et les Bourguignons
ne peuvent pas la prendre. Donc, ils ne la
prendront pas.

                    Passe un couple.

LA FEMME

J'ai peur.

L'HOMME

De quoi as-tu peur ?

LA FEMME

Que vont-ils nous dire ? Pourquoi les rues se sont-elles remplies d'hommes d'armes ?

> *Catherine est entrée pendant les dernières répliques. Elle regarde le beffroi, touche les pierres.*

CATHERINE

Non, c'est inutile. Les choses n'ont plus de voix. Ou c'est moi qui ne comprends plus leur langage. Ils m'ont retranchée du monde; plus rien n'est à moi.

> *Elle s'assied.*

Je suis fatiguée.

> *Un temps.*

Et pour lui, tout cela continuera d'exister. Le beffroi sera achevé, les rosiers refleuriront: pour lui.

> *Jean-Pierre entre en courant.*

JEAN-PIERRE

Je vous ai cherchée à travers toute la ville

CATHERINE

Va-t'en !

JEAN-PIERRE

Un mot seulement.

CATHERINE

Va-t'en. Je ne peux pas supporter la vue d'un homme.

JEAN-PIERRE

Que vont-ils faire ?

CATHERINE

Tu le sauras dans un instant.

JEAN-PIERRE

Ce sera trop tard.

CATHERINE

Trop tard ?

JEAN-PIERRE

Trop tard pour vous sauver. Il court d'horribles bruits.

CATHERINE

Le plus horrible est vrai.

Un temps.

JEAN-PIERRE

Le peuple ne permettra pas ce crime. Je vais lui parler.

CATHERINE

Tu perds ton temps. Le peuple est fier des chefs qu'il s'est choisis. Il leur obéira.

Un temps.

Pourquoi te soucies-tu de nous ?

JEAN-PIERRE

Est-ce de vous que je me soucie ? Ou de moi-même? L'air a changé d'odeur et la salive dans ma bouche a pris un goût amer. Ah ! je ne peux supporter la couleur de ce ciel. Où sont les échevins ?

CATHERINE

Ils passeront ici. Mais n'espère pas les ébranler. Ils sont aveugles et sourds.

JEAN-PIERRE

Je parlerai aux hommes de Vaucelles. Je saurai les convaincre.

CATHERINE

Non ! Il est trop tard. C'est hier qu'il fallait prendre le sort de ta ville entre tes mains; hier, les membres du conseil auraient écouté ta voix, tu les aurais détournés du crime. Mais tu voulais te garder pur.

JEAN-PIERRE

Pouvais-je prévoir que mon silence ferait de moi un assassin ?

CATHERINE

Un assassin, un bourreau. Du moment que

tu te taisais, tu acceptais n'importe quel destin.

Un temps.

JEAN-PIERRE
Où est Clarice ?

CATHERINE
Je ne sais pas.

Elle se lève.

Ils viennent. Que Dieu soit avec toi.

Elle sort. Les échevins entrent.

JEAN-PIERRE
Un instant, je vous prie ! Je veux vous parler.

LOUIS
Nous ne pouvons t'entendre à présent. Le peuple nous attend.

JEAN-PIERRE
Qu'il attende. Je sais ce que vous vous préparez à lui dire. Prenez garde. Les hommes de Vaucelles se révolteront contre une décision si barbare.

JACQUES
Ils aiment leur ville; ils obéiront à la loi.

FRANÇOIS
Ecarte-toi ou je te fais saisir par les gardes.

JEAN-PIERRE

Ils se révolteront ! Vous avez reconnu vous-
mêmes que j'ai du crédit auprès d'eux; à présent je n'hésiterai pas à m'en servir. Je les dres-
serai contre vous.

JACQUES

Tu ne feras pas cela. Tu ne trahiras pas ta
ville.

JEAN-PIERRE

Il n'y a plus ici de ville, mais des bourreaux
et leurs victimes. Je ne serai pas votre complice.

FRANÇOIS

Il faut jeter cet homme en prison.

LOUIS

Va-t-en !

JEAN-PIERRE

J'empêcherai que ce crime ne s'accomplisse.
*Ils sortent. Des gens traversent la scène
en se hâtant. Des cloches sonnent.*

FRANÇOIS

Quoi, vous le laissez aller ?

JACQUES

Quel crime a-t-il commis ? Quelle loi nous
autorise à le punir ?

FRANÇOIS

Est-ce le moment de nous soucier de justice ? Ce que nous allons faire tout à l'heure est-il juste ?

LOUIS

Tout décret voté par le conseil est juste. Mais nous n'avons pas le droit de prendre une mesure arbitraire.

FRANÇOIS

Cœurs timides ! Vous laisserez Vaucelles se perdre de peur que vos miroirs ne vous renvoient l'image d'un tyran.

JACQUES

Je crains que Vaucelles ne vous soit moins chère que le pouvoir. Sous prétexte de la sauver, vous n'hésiteriez pas à la réduire en esclavage.

UNE FEMME, *à une autre*.

Hâte-toi ! Les cloches sonnent.

UNE AUTRE FEMME

Est-ce commencé ?

UN VIEILLARD

C'est commencé ?

UN HOMME

C'est commencé.

Voix

C'est commencé ! C'est commencé !

Ils sortent en courant. Clarice et Jeanne
sont entrées sur les dernières répliques.

Clarice, *entraînant Jeanne.*

Viens par ici.

Jeanne

N'as-tu pas aperçu Jean-Pierre ? Je suis sûre qu'il te cherchait.

Clarice

Justement. Je ne souhaite pas le voir.

Jeanne

Si nous restons ici nous n'entendrons rien.

Clarice

Tu sauras bien vite comment le peuple accueille leurs paroles.

Jeanne

En montant vers la place, les femmes s'appuyaient au bras de leur mari, les fils soutenaient leur vieux père. Ils vont se révolter.

Clarice

Faut-il que notre sort dépende des caprices de leur cœur ?

JEANNE

Ils parlent. C'est ton père qui parle. On l'écoute. Que dit-il ?

Un temps.

Quel silence ! Pas un mot ! Pas un cri !

Un temps.

Ils se taisent. Ils se taisent ! Ah ! comme il fera froid cette nuit dans les fossés !

CLARICE

Il y a des bêtes gluantes qui rampent sous les herbes.

JEANNE

Clarice !

CLARICE

N'aie pas peur. Nous pouvons leur échapper.

JEANNE

Comment ? Où fuir ?

Clarice tire un poignard de sa ceinture.

CLARICE

Je veux que mon père me trouve morte sur ces marches.

JEANNE

Je ne veux pas mourir.

Entre Catherine.

CATHERINE

Que faites-vous-? Allez-vous leur offrir le spectacle de vos prières et de vos larmes ?

JEANNE

N'y a-t-il plus aucun espoir ?

CATHERINE

Lorsque les vêpres sonneront, les enfants, les femmes et les vieillards se rassembleront sur la grand'place, et les gendarmes les chasseront de l'autre côté des remparts.

JEANNE

Ainsi les hommes de Vaucelles ont accepté cette sentence !

CATHERINE

D'abord, ils ont regardé leurs femmes, ils ont saisi leurs mains ; puis ils ont détourné les yeux, leurs doigts se sont ouverts.

JEANNE

Oh ! Dieu.

CATHERINE

Il ne lui sera pas si facile de lâcher ma main.

Elle sort.

CLARICE, *prenant le poignard.*

Adieu !

JEANNE

Arrête. Tant que nous sommes vivantes, il reste encore un espoir.

CLARICE

Qu'ai-je à espérer ? Rien n'est à moi, sauf cette petite vie qui bouge dans mon ventre et qui demain s'arrachera de moi.

JEANNE

Clarice, ne me laisse pas seule !

CLARICE

Tu es seule, et je suis seule ! Adieu !

JEANNE

Non, reste avec moi. La nuit sera moins froide si je dors dans tes bras. Cela du moins nous est laissé ; jusqu'à notre dernier souffle, nous pourrons encore nous sourire, nous aimer, pleurer ensemble.

CLARICE

Je ne sais ni sourire, ni pleurer. Je ne sais pas aimer. Ils ne m'ont pas permis de vivre. Mais ils ne me voleront pas ma mort.

Elle lève le poignard. Elles luttent.

JEANNE

Jean-Pierre ! Jean-Pierre !

Elles luttent.

98

CLARICE

Rends-le moi !

JEANNE

Non. Jean-Pierre ! Jean-Pierre !

Jean-Pierre entre en courant. Jeanne lui donne le poignard.

Un temps.

CLARICE

Rends-le moi, ou je me jette du haut du beffroi.

JEAN-PIERRE

Crois-tu que je te laisserai mourir seule ?

Jeanne s'éloigne et va s'asseoir parmi les pierres du chantier.

Je vais parler aux hommes de Vaucelles. Je les persuaderai de tenter une sortie.

CLARICE

La sortie échouera et nous serons tous massacrés.

JEAN-PIERRE

Du moins nous périrons ensemble.

CLARICE

Nous périrons ensemble !

Un temps...

Je ne veux pas de ta pitié.

JEAN-PIERRE

De la pitié ? Qui oserait avoir pitié de toi ?
Je ne peux pas supporter de vivre et que tu
sois morte. Je t'aime, Clarice.

CLARICE

Tu disais hier que ce mot n'avait pas de sens.

JEAN-PIERRE

Etait-ce hier ? Comme cela me semble loin !

CLARICE

C'était hier, et tu ne m'aimais pas.

JEAN-PIERRE

Je n'osais pas t'aimer parce que je n'osais
pas vivre. Cette terre me semblait impure et
je ne voulais pas m'y salir. Quel orgueil stupide.

CLARICE

Te paraît-elle plus pure aujourd'hui ?

JEAN-PIERRE

Nous appartenons à la terre. A présent j'y
vois clair : je prétendais me retrancher du
monde, et c'est sur terre que je fuyais mes tâ-
ches d'homme, sur terre j'étais un lâche et je
te condamnais à mort par mon silence. Je
t'aime sur terre. Aime-moi.

CLARICE

Et comment s'aime-t-on sur terre ?

JEAN-PIERRE

On lutte ensemble.

Un temps.

CLARICE

Tu disais : chacun est seul.

JEAN-PIERRE

Cette souffrance dans mon cœur, c'est toi,
Clarice, et pourtant c'est moi-même. Tu es
ma vie puisque je mourrai de ta mort.

CLARICE

Cette joie qui vient de naître en moi, est-ce
donc toi ?

Jean-Pierre la prend dans ses bras.

JEAN-PIERRE

Dis-moi que tu m'aimes.

CLARICE

Mon amour ! Comme j'ai souffert de ne pas
t'aimer !

Ils s'embrassent.
Ils sortent. La foule revient sur la place
de l'Hôtel de Ville. Les femmes et les
vieillards forment un groupe, les hom-
mes un autre.

UNE FEMME

Je me cacherai.

UNE AUTRE

Où nous cacherons-nous ? Les gendarmes fouilleront toutes les maisons.

UN VIEILLARD

Mon Dieu ! ayez pitié de nous ! Mon Dieu ! ayez pitié de nous !

UNE FEMME

Personne n'aura pitié de nous. Dieu est sourd !

TROISIÈME FEMME

Assassins, pourquoi ne nous égorgez-vous pas tout de suite ?

QUATRIÈME FEMME, *allant vers un des hommes.*

Tu es mon mari, et tu vas me laisser mourir.
                    Les deux groupes s'arrêtent.

Réponds-moi ! Parle-moi ! Etes-vous devenus sourds ?

PREMIER HOMME

Le conseil a décidé, Maria, je n'ai rien à dire.

Jean-Pierre s'avance vers les hommes.

JEAN-PIERRE

Le conseil a décidé ! Je croyais qu'à présent vous étiez des hommes libres. Jamais le duc n'aurait osé exiger de vous ce que ces hommes exigent. Et vous courbez la tête !

DEUXIÈME HOMME

Nous voulons sauver notre ville.

JEAN-PIERRE

Vous pouvez tenter une sortie. Avez-vous peur ?

TROISIÈME HOMME

Nous n'avons pas peur.

JEAN-PIERRE

Alors ? Courons aux armes et jetons-nous sur le camp bourguignon.

Silence.

PREMIER HOMME

Ce n'est pas ce que le conseil a décidé.

JEAN-PIERRE

Réveillez-vous. N'est-ce pas pour vos femmes et vos enfants que vous luttez ?

TROISIÈME HOMME

Nous luttons pour notre commune.

JEAN-PIERRE

Allez-vous faire de votre ville un repaire d'assassins ?

PREMIER HOMME

Nous ferons ce qu'on nous ordonne de faire.

JEAN-PIERRE

Vous parlez comme des esclaves !

Entrent François et Georges.

FRANÇOIS

Pas de rassemblement dans les rues. Dispersez-vous.

La foule se disperse.

JEAN-PIERRE, *à Clarice.*

Ce n'est pas là leur dernier mot. Je finirai bien par les ébranler.

Ils sortent. Georges les suit des yeux puis se retourne vers François.

GEORGES

Quel scrupule vous retient ? Mon père et Jacques Van der Welde nous ont donné l'exemple. Ils n'ont pas hésité à frapper les faibles et les inutiles. Serez-vous plus timide qu'eux ?

FRANÇOIS

Je serais le maître, enfin ! Rien ne ferait plus obstacle à mes desseins !

GEORGES

Dites un mot, et je les fais abattre. Hésitez-vous ? Nous n'avons qu'une vie à vivre, elle est notre seule chance. Ce que nous laissons échapper, plus jamais nous ne le tiendrons entre nos mains. Vaucelles est à prendre. Il faut la prendre.

FRANÇOIS

Vaucelles serait à moi ! Tous ces hommes qui poussent au hasard comme des plantes folles, je les rassemblerais en une seule gerbe droite et dure. Je ne permettrais pas qu'un geste, une parole se perde inutilement dans les airs. Quelles grandes choses je pourrais faire !

GEORGES

Il n'existera plus d'autre loi que notre volonté. Personne ne nous demandera de compte, personne n'osera plus nous juger. Chaque mouvement de notre cœur s'inscrira sur la face de la terre. Je serai enfin moi-même et dans le monde entier je retrouverai mon image !

FRANÇOIS

Nous ferons venir des pays d'alentour des femmes aux larges hanches qui nous donneront des fils capables de conquérir les Flandres et le monde. Je construirai à neuf l'univers ; j'en ferai une chose si parfaite et si pleine qu'il ne sera même plus possible aux hommes de rêver.

GEORGES

Il faut agir vite. Je veux profiter de la confusion qui suivra l'exode des femmes et des enfants.

FRANÇOIS

Venez me retrouver avant vêpres.

GEORGES

Il va pour sortir de l'autre côté et s'arrête.

Qui est là ?

Silence.

Il y a quelqu'un ici !

Silence.

Tu m'espionnais !

Il s'élance et ramène Jeanne.

JEANNE

Ah ! Comme je me sens heureuse ! Pendant toutes ces années je n'osais croire mon cœur. Je sais enfin que j'avais raison de te haïr.

GEORGES

Oui, mon ange ! Et plus encore que tu **ne** pouvais l'espérer.

SIXIÈME TABLEAU

*Chez Louis d'Avesnes. Catherine entre, suivie
de femmes qui s'accrochent à elle.*

LES FEMMES

Sauvez-nous. Sauvez nos enfants ! Vous
êtes notre dernier espoir.

CATHERINE

Je vous en prie, laissez-moi. Laissez-moi
seule.

LES FEMMES

Maître d'Avesnes a toujours écouté votre
voix. Suppliez-le. Persuadez-le. Il est bon, il
est juste. Il cédera à vos prières. Sauvez-moi.
Sauvez-nous.

CATHERINE

Je ne peux plus rien pour vous.

LES FEMMES

Ne nous abondonnez pas.

CATHERINE

Je ne peux rien. Laissez-moi.

UNE FEMME

A quoi bon nous avoir donné chaque jour
de la soupe et du pain ? J'aurais mieux aimé
mourir de faim dans ma maison que d'être
jetée aux Bourguignons.

UNE AUTRE

Tais-toi.

UNE AUTRE

Elle a raison. Pourquoi nous avoir empê-
ché de mourir ? Nous en aurions fini.

CATHERINE

Oh ! Dieu ! Me reprochez-vous d'avoir voulu
vous secourir !

UNE FEMME, *à une autre.*

Tais-toi. N'as-tu pas honte ?

UNE FEMME, *à Catherine.*

Nous ne vous reprochons rien.

CATHERINE

Moi aussi, je serai jetée aux Bourguignons.

Un temps.

UNE FEMME

Pardonnez-nous.

Elles commencent à sortir.

CATHERINE

Tout ce que je pourrai faire pour vous, je le ferai.

Elles sortent.

En vérité, il eût mieux valu les laisser mourir de faim. (*Elle va à la fenêtre et regarde.*) Je ne peux plus rien, je ne suis plus rien.

Un temps. Entre Clarice.

CLARICE

Mère chérie !

Catherine la regarde.

Mère, comme vous semblez triste, qu'avez-vous ?

CATHERINE

Ce que j'ai, Clarice ?

CLARICE

Oui, je sais. Ne soyez pas triste. Jean-Pierre nous sauvera.

CATHERINE

A-t-il parlé aux hommes de Vaucelles ?

CLARICE

Il leur a parlé, et ils n'ont pas voulu l'entendre. Le conseil a décidé, cela leur suffit. Mais nous leur échapperons. Jean-Pierre connaît un passage à travers le camp bourguignon. Cette nuit il se glissera dans le fossé et il nous fera fuir. Nous gagnerons la France.

CATHERINE

La France !

CLARICE

Et si nous sommes pris nous nous tuerons ensemble ! Ah ! maintenant, je n'ai plus peur ni de la mort ni de la vie.

CATHERINE

Tu l'aimais donc.

CLARICE

Il m'aime aussi.

CATHERINE

Pars avec lui en France, Clarice, et sois heureuse.

CLARICE

Mère, vous me faites peur. N'allez-vous pas vous sauver avec nous ?

CATHERINE

Rien ne peut plus me sauver. Pour moi tout est fini.

CLARICE

Ne parlez pas ainsi. Est-ce que la vie ne commence pas chaque jour ?

Un temps.

Mon enfant naîtra. Ne voudrez-vous pas lui sourire ?

CATHERINE

Ce sera ton enfant, Clarice ; ton avenir, ton bonheur.

CLARICE

Je partagerai tout avec vous.

CATHERINE

Non, je veux ma vie, mon avenir. Notre vie, notre avenir. Ou si rien d'autre ne nous est laissé, notre mort.

CLARICE

Que voulez-vous dire ?

CATHERINE

Ne te soucie pas de moi. Pense à Jean-Pierre, pense à ton enfant, pense à toi. Sois heureuse et ma vie n'aura pas été tout à fait vaine.

Un temps.

Maintenant il faut me laisser. J'ai besoin de silence.

Clarice sort. Catherine pend son poignard à sa ceinture.

Non. Cela ne sera pas. Il n'y aura pas cette séparation entre nous. Il faut que tout s'arrête avant.

Un temps, Louis entre par la porte du fond. Long silence. Louis et Catherine se regardent.

CATHERINE

Est-ce toi? Il faut que je te regarde. Tu étais si mêlé à moi que je ne distinguais plus ton visage : et maintenant te voilà devant moi avec ces deux rides aux coins de la bouche, et ces yeux effrayés.

LOUIS, *très bas.*

Catherine, ma femme.

CATHERINE

Non, pas ta femme. Un instrument qu'on brise et qu'on jette au rebut lorsqu'on s'en est servi.

LOUIS

Tu est là, et je suis seul.

CATHERINE

Tu m'as trahie ! Mourir n'est rien, mais tu m'as effacée du monde. Toutes les promesses du passé, tu les as changées en mensonges. Mensonge ce jour où j'ai mis Clarice au monde et ce matin ensoleillé où j'ai posé la première pierre du beffroi. Mensonge nos baisers et nos nuits. Notre amour n'était que mensonge.

LOUIS

Tu peux sauver notre amour, Catherine. Tu peux sauver le passé et l'avenir. Dis un mot seulement : accepte !

CATHERINE

Puis-je me renier moi-même ?

Un temps.

Tu me parlais, je répondais, et j'étais devant toi une femme vivante et libre. Et moi, je te parlais, et tu répondais librement; jamais l'un de nous n'accomplissait un acte où l'autre ne reconnût sa propre volonté. Et maintenant, tu as disposé de moi comme on dispose d'une pierre; et tu n'es plus que cette force aveugle qui me broie.

LOUIS

Je te parle encore et tu peux encore me répondre. Accepte notre décret, reconnais en lui ta propre volonté : notre commune volonté de sauver Vaucelles à tout prix.

CATHERINE

C'est trop tard. Tu as décidé sans moi et tous les mots que je dirai ne seront plus que des paroles d'esclave. Je suis ta victime ; tu es mon bourreau.

Un temps et très tristement.

Nous sommes deux étrangers.

On frappe.

Entrent Jacques et Jean-Pierre qui porte Jeanne.

Jeanne ! Qu'est-il arrivé ?

JACQUES

Nos serviteurs l'ont trouvée au pied du beffroi baignée de sang. Elle tient d'étranges propos.

Jean-Pierre sort, portant Jeanne. Catherine suit, mais elle s'arrête près de la porte et écoute.

LOUIS

Que dit-elle ?

JACQUES

Votre fils conspire contre nous. Il veut nous tuer et prendre le pouvoir.

Silence. Louis s'assied, accablé.

Il ne faut pas perdre un instant.

LOUIS

Georges veut me tuer ! (*Un temps.*) Est-ce notre faute ?

JACQUES

Notre faute ?

LOUIS

Je ne sais plus.

JACQUES

Appelez le capitaine des gardes. Donnez l'ordre qu'on se saisisse de votre fils. C'est lui qui doit nous frapper.

LOUIS

Il n'y a plus ni bien ni mal. La force commande.

JACQUES

Que dites-vous ?

LOUIS

Il parlait ainsi ; avait-il tort ?

JACQUES

Réveillez-vous. Faites venir le capitaine.

LOUIS

Pourquoi ?

JACQUES

Réveillez-vous. (*Un temps.*) Je sais. C'est votre fils.

LOUIS

Que m'importe mon fils ?

JACQUES

Mais il s'agit de votre vie.

LOUIS

Que m'importe ma vie !

JACQUES

Il s'agit de Vaucelles.

LOUIS

Vaucelles existe-t-elle encore ? Nous voulions la sauver et il me semble que nous avons tué son âme.

JACQUES

Ce n'est pas l'heure des questions et des remords. Il faut agir.

LOUIS

Pardonnez-moi. J'ai besoin de rester seul un instant.

Jacques sort. Un temps.

CATHERINE

Pourquoi es-tu triste ? Tu avais déjà perdu ta fille et ta femme. A présent tu n'as plus de fils. Quel avenir vierge devant toi !

LOUIS

Tu me hais, Catherine ?

CATHERINE

Non... Viens près de moi.

Il se lève.

LOUIS

Me quitteras-tu sans m'avoir pardonné ?

CATHERINE

Puis-je te pardonner ? Ou puis-je te maudire ? Ne sommes-nous pas une seule chair ? Prends ma main.

Elle lui donne sa main gauche et se presse contre lui.

CATHERINE

Une seule chair, un seul destin. Rien ne saurait nous désunir. Ni la mort, ni la vie !

Elle veut le frapper. Il saisit son poignet. L'arme tombe à terre.

LOUIS

Mon cher amour ! Tu m'aimes donc encore ?

CATHERINE

Tu vivras, je t'ai perdu !

LOUIS

Voici que tu m'es rendue, ma femme. Aucun baiser, aucun serment ne nous ont liés l'un à l'autre aussi étroitement que ce coup de poignard. Tu m'aimes et je peux te serrer dans mes bras.

Il la prend dans ses bras.

CATHERINE

Je t'ai perdu.

LOUIS

Non ! Ne sens-tu pas mon cœur qui bat contre ton cœur, comme autrefois. Je ne suis pas ton bourreau, tu n'es pas ma victime. Pour toi et moi, le même destin; et sa cruauté ne peut rien contre notre amour. Nous voilà réunis pour toujours.

CATHERINE

Pourquoi as-tu retenu ma main ? (*Silence.*) Il est temps encore.

Un temps...

LOUIS

Je n'ai pas le droit de fuir.

CATHERINE

Tu m'aimes et tu me laisseras mourir seule !
Long silence. Entre Clarice.

CLARICE

Elle est morte.

CATHERINE

A-t-elle dit qui l'a frappée ?

CLARICE

C'est Georges.

CATHERINE

Georges ! Malheur sur moi !

Silence.

L'amour et la joie dont je l'ai frustrée, qui les lui rendra ? Ah ! criminelle ! Je pensais : plus tard, elle sera heureuse. Mais sa vie s'est arrêtée ici, dans la souffrance et dans la haine; elle est morte avec ce poids écrasant sur son cœur : le poids de ma volonté stupide.

Silence. Elle se tourne vers Louis.

Tu peux me sacrifier sans remords. Comment ai-je osé croire que le monde était une pâte docile qu'il m'appartenait de façonner à mon gré ? Toi aussi, va ton chemin. J'ai mérité d'être jetée dans un fossé pour y mourir seule et perdue.

LOUIS

Non !

CATHERINE

Que dis-tu ?

LOUIS

J'ai renié la moitié de mon peuple, et la ville tout entière s'est changée en une horde sans loi et sans amour. Comment accéder à une vie plus haute si nous tuons d'abord toutes nos raisons de vivre ?

Il la prend dans ses bras.

Une seule chair, un seul destin ! Nous triompherons ensemble, ou nous serons enfouis ensemble dans la terre.

CATHERINE

Que vas-tu faire ?

LOUIS

Je vais rassembler le conseil.

SEPTIÈME TABLEAU

La salle du conseil. Les députés. Les trois échevins. Des gardes.

LOUIS

Avez-vous dormi cette nuit ?

VOIX

Que dit-il ? Quelle étrange question ? Pourquoi nous a-t-il réunis ?

LOUIS

Si vous avez dormi, vous avez de la chance.
(*Un temps.*) Nous nous sommes trompés. Ce
que nous avons décidé hier ne doit pas s'ac-
complir.

Mouvement de surprise.

FRANÇOIS

Prenez garde; il y a des paroles qui entraî-
nent aussitôt la mort.

Louis

Pensez-vous que je veuille vous proposer de rendre Vaucelles ? Je me tuerais plutôt ! (*Un temps.*) Nous n'achèterons pas notre victoire par un crime. Armons les hommes, les vieillards, les femmes et même les enfants. A la faveur de la nuit, ruons-nous sur le camp bourguignon. Tous ensemble nous triompherons ou nous mourrons.

François

Nous savons que vous êtes un bon mari et un bon père. Mais n'oubliez-vous pas que vous êtes d'abord le chef de cette ville ? Vous avez reconnu hier qu'il faudrait un miracle pour réussir une sortie.

Louis

Gand était au bout de ses forces; l'ennemi promit de l'épargner si on lui livrait tous les jeunes gens de la ville. Mais les habitants ont préféré la mort à la honte; ils ont attaqué sans espoir l'armée des assiégeants; et ils l'ont balayée.

Jacques

Allons-nous courir ce risque insensé alors que la victoire est sûre si nous tenons jusqu'au printemps ?

PREMIER DÉPUTÉ

Depuis hier, chacun de nous a entendu pleurer dans sa maison une femme, une mère chérie; quand nos petits enfants souriaient, nous détournions la tête pour essuyer nos larmes. Nous avons mal dormi. Mais nous n'avons pas le droit de perdre Vaucelles pour apaiser nos cœurs.

VOIX

Nous n'avons pas le droit.

LOUIS

Le droit ? Qui en décide, sinon nous ? La question qui se pose à nous, nul ne l'a résolue avant nous et personne ne peut y répondre pour nous. C'est à nous seuls de choisir : que voulons-nous ?

JACQUES

Nous voulons la victoire !

VOIX

La victoire. Nous voulons la victoire !

LOUIS

Quelle victoire ? (*Un temps.*) Les habitants de Vaucelles se traînaient dans la misère et l'esclavage; nous avons dit : nous ferons de ces esclaves des hommes; et dès que ces mots ont été prononcés, la pauvreté, la faim, la mort ont changé de visage. Pendant dix-huit mois, nous avons lutté côte à côte, et, malgré les souffrances, la joie était en nous. Depuis hier, la joie est morte. Où puisions-nous la force d'être des hommes, sinon dans ces regards qui se levaient vers nous avec confiance ? Maintenant tous les regards fuient. Chacun est seul comme une bête. Qu'importe notre triomphe ou notre ruine si nous ne sommes plus qu'une meute sauvage ? Non. Nous n'achèverons pas cette lutte en foulant aux pieds toutes nos raisons de lutter. Ce serait la pire des défaites.

FRANÇOIS

Il n'est qu'une seule défaite. C'est de ne pas atteindre le but qu'on s'est fixé. Nous avons chassé le duc non pour mourir mais pour vivre. Et nous vivrons.

LOUIS

Nous avons chassé le duc pour conquérir la liberté et la justice.

PREMIER DÉPUTÉ

Pour l'amour de la liberté et de la justice, nous oserons nous conduire aujourd'hui en tyrans, sinon nous serons vaincus et nous les perdrons à jamais.

Deuxième Député

Il dit vrai. Il nous faut d'abord la force. Le temps de la justice viendra.

Voix

Pas de faiblesse. Ce n'est pas l'heure de nous embarrasser de scrupules. Il est utile à la commune que ces gens-là meurent : ils mourront !

François

A quoi bon poursuivre plus longtemps ce bavardage ? Nos décisions sont prises. Je demande le vote du conseil.

Voix

Oui. Au vote. Finissons-en.

Jean-Pierre fait irruption dans la salle.

Jean-Pierre

Un instant !

Voix *(ensemble)*

Que veut-il ? Que vient-il faire ici ? C'est une inconvenance ! Qui l'a laissé entrer ? Quelle audace ! Comment a-t-il osé ?

Louis

Ne sais-tu pas qu'il est interdit de franchir cette porte pendant le conseil ?

JEAN-PIERRE

Pour l'amour de Vaucelles, au nom des services qu'il m'a été donné de rendre à cette commune, écoutez-moi. Il sera temps de me châtier ensuite si vous estimez que j'ai enfreint vos lois à la légère. Les révélations que j'ai à vous faire ne souffrent aucun retard.

FRANÇOIS

Ton audace sera punie de façon exemplaire ! (*Aux gardes.*) Emmenez-le.

JACQUES

Non. Laissez-le parler. Il faut qu'il ait des choses importantes à nous dire.

LES DÉPUTÉS

Qu'il parle ! Nous voulons l'entendre. Il ne courrait pas un tel risque sans de graves raisons.

FRANÇOIS

Cela est illégal.

JACQUES

C'est nous qui faisons la loi.

LOUIS

Parle donc.

JEAN-PIERRE

Je vous poserai d'abord une question : notre constitution n'exige-t-elle pas que nos lois soient votées par trois échevins assistés du conseil ?

LOUIS

Sans doute.

JEAN-PIERRE

Eh bien ! Je vous dis qu'aucune des décisions que vous prendrez en ce jour n'aura force de loi, car il n'y a ici que deux échevins et un traître. (*Il désigne François.*)

VOIX

Quoi ? Que dit-il ? Est-ce possible ? Que veut-il dire ? De quelle trahison parle-t-il ? Il accuse François Rosbourg ?

FRANÇOIS

Ceci dépasse la mesure.

LOUIS

Explique-toi.

JEAN-PIERRE

Ma sœur vient de mourir, assassinée. Vous savez qui l'a assassinée ?

LOUIS

Je sais, c'est mon fils.

Mouvement.

JEAN-PIERRE

Et vous savez pourquoi ? Il conspirait contre la commune et elle a surpris ses propos. Il ne conspirait pas seul; avant de mourir, Jeanne m'a révélé le nom de son complice : François Rosbourg.

FRANÇOIS

Permettez-vous qu'on insulte impunément en plein conseil un de vos échevins ? J'exige qu'on jette cet homme en prison.

JEAN-PIERRE

Il voulait se débarrasser de Maître van der Welde et de Maître d'Avesnes et régner seul. Ma sœur a entendu ses paroles.

FRANÇOIS

Il est facile d'invoquer le témoignage des morts. Encore une fois, je vous prie de faire cesser ce scandale.

JEAN-PIERRE

J'ai réussi à mettre la main sur un autre témoin. (*A Louis.*) Veuillez lui permettre d'entrer.

LOUIS, *aux gardes.*

Qu'il entre.

Les gardes ouvrent la porte. Entre Georges entouré par trois jeunes gens qui le menacent de leur épée.

JEAN-PIERRE

Je ne te demanderai pas de répéter ici les

aveux que nous t'avons arrachés. Dis-nous seulement ceci : cet homme t'accuse d'avoir tenté de le corrompre et il prétend avoir repoussé tes offres avec horreur. Est-ce vrai ?

GEORGES

Le corrompre, vraiment ? Il a eu vite fait de prêter l'oreille à mes discours. Je me demande même si ce n'est pas lui qui me les a dictés.

VOIX

Est-ce possible ? François Rosbourg ? Quelle horrible trahison !

FRANÇOIS

Il ment !

GEORGES

Pensiez-vous que j'accepterais de payer pour vous ? Non, si je dois me balancer en haut du donjon, je veux que vous me teniez compagnie. Je sais trop bien que si notre entreprise avait réussi, vous eussiez tenté de vous débarrasser de moi.

FRANÇOIS

C'est un complot ! Ils ont monté cette machination afin de m'écarter du pouvoir.

JEAN-PIERRE

Nous avons obtenu de Georges le nom de vos complices, et il en est plusieurs dont nous avons pu nous saisir. Le conseil veut-il les entendre ?

Les amis de Jean-Pierre ouvrent la porte et introduisent quelques hommes.

Premier Député

Ah ! traître ! Tu profitais de nos malheurs pour servir ton ambition.

Troisième Député

Et tu osais nous parler du bien de Vaucelles, hypocrite !

François

C'est vrai. J'ai souhaité le pouvoir. Mais il est vrai aussi que c'était pour le bien de Vaucelles. Jamais vos faibles cœurs ne seront capables de lui donner le destin que je rêvais pour elle. Entre mes mains, elle fût devenue la reine des Flandres et du monde.

Jacques

Elle eût été le docile instrument de ton orgueil : le bien de cette ville, c'est ce qu'elle choisit elle-même comme son bien. L'empire du monde lui fût-il donné, elle ne serait qu'une esclave si elle le recevait d'une main étrangère.

Louis

Son aveu suffit ! (*A un garde.*) Emmenez-le.

François descend de la tribune. Les gardes l'emmènent, ainsi que Georges et les témoins.

JACQUES

Tu as sauvé Vaucelles. Je propose que le conseil désigne Jean-Pierre Gauthier pour occuper cette place vide à nos côtés.

VOIX

Oui ! Il l'a méritée ! Qu'il soit échevin !

VOIX

Qu'il soit échevin !

LOUIS

Nul membre du conseil ne s'oppose à cette décision ? (*Un temps.*) La charge d'échevin t'est donc offerte : l'accepteras-tu ?

JEAN-PIERRE

Je l'accepte. (*Il monte à la tribune.*) Puisqu'il m'est permis maintenant de prendre part à vos débats, je vous demanderai : cet homme que vous venez de chasser de votre sein n'est-il pas un criminel ?

VOIX

Oui. Certes. C'est un criminel.

JEAN-PIERRE

Eh bien ! Il n'a fait que suivre votre exemple. (*Mouvement.*) Vous aviez décidé : les vieillards, les infirmes sont des bouches inutiles; pourquoi un tyran ne jugerait-il pas vos libertés inutiles et vos vies importunes ? Si un seul homme peut être regardé comme un déchet, cent mille hommes ensemble ne sont qu'un tas d'ordures.

Silence.

JACQUES

Faut-il condamner à mort toute la ville pour en épargner la moitié ?

LOUIS

Nous ne condamnerons personne ! Les hommes de Vaucelles sont libres et nous appellerons à leur liberté. Ils ont accepté de vous obéir parce qu'ils ont confiance en notre sagesse. Mais dites-leur que vous leur permettez de risquer leur vie pour sauver celle de leurs enfants et de leurs femmes, et ils la risqueront avec joie.

PREMIER DÉPUTÉ

Ils la risqueront et ils périront tous.

LOUIS

Une mort librement choisie n'est pas un mal. Mais ces femmes et ces vieillards que vous jetterez au fossé, aucun choix ne leur est permis. Et vous leur volerez leur mort avec leur vie. Nous ne ferons pas cela ! Que cette nuit, uni dans une seule volonté, un peuple libre affronte son destin.

Deuxième Député

Vaucelles doit vivre !

Louis

Qui est Vaucelles ? Entre chacun de nous et tous les autres, il y a un pacte : si nous le brisons, notre commune tombe en poussière.

Deuxième Député

Vaucelles ne cessera pas d'exister parce que nos femmes et nos enfants seront morts. Nous trouverons d'autres épouses qui nous donneront d'autres fils.

Jean-Pierre

D'autres épouses ? D'autres fils ? Mais de quels yeux nous regarderont-ils ? Et quels mots oserons-nous leur dire ?

Un temps.

Quatrième Député

Il dit vrai. Depuis hier, je n'ose plus lever les yeux de peur de rencontrer le regard d'une victime ou d'un complice. Plus jamais nos bouches ne pourront sourire.

Troisième Député

Imaginez-vous l'entrée du roi de France

dans cette ville d'assassins ? Que pourront sonner les cloches de notre beffroi, sinon le glas ?

Premier Député
Et pouvez-vous imaginer notre beffroi rasé,
nos murs réduits en cendres ?

Louis
Nous ne luttons pas pour des pierres.

Deuxième Député
Vaucelles doit vivre.

Louis
Un peuple rongé par le malheur et par la
honte est-il vivant ?

Deuxième Député
Est-il vivant quand ses os engraissent la
terre ?

Louis
Il peut vivre à jamais dans les cœurs. Oui,
Vaucelles doit vivre. Ne tuons pas son âme.

Jean-Pierre
Pouvez-vous regarder en face cet avenir que
vous avez construit sur le crime et la trahison ? Les uns rongés par le remords s'enfui-
ront de la ville; les autres se consumeront dans
la solitude et le silence. Nous aurons sacrifié
notre chair, notre sang et il ne restera au mi-

lieu de la plaine qu'un sépulcre vide. Serez-vous satisfaits d'une pareille victoire ?

Silence.

Répondez !

TROISIÈME DÉPUTÉ
Je ne sais plus.

CINQUIÈME DÉPUTÉ
Je ne sais plus.

QUATRIÈME DÉPUTÉ
Il a raison, nous serons maudits.

JEAN-PIERRE
Quelle femme franchira nos murs ? Quel ami nous touchera la main ?

JACQUES
Il a raison. Nous aurons tué la confiance et l'amour. Nous ne serons plus une ville, mais une horde. Nous voulions servir d'exemple au monde, et nous deviendrons pour lui un objet d'horreur.

PREMIER DÉPUTÉ
Nous touchons au but : renoncerons-nous ?

LOUIS
Quel est le but ? Nous avons chassé le duc pour être des hommes libres. Disons seulement un mot, faisons un geste, et voilà que ce but

est atteint. Aucun échec n'est plus à craindre. Que nous réussissions cette sortie ou que nous soyons massacrés, nous triomphons.

Un temps.

Nous voterons à main levée.

En silence, tous lèvent la main.

HUITIÈME TABLEAU

La nuit sous les remparts, devant une porte.
A droite, un capitaine distribue des armes.
A gauche, Catherine et Clarice distribuent
de la soupe et du pain. Grand rassemblement
d'hommes, femmes, enfants et vieillards.

CATHERINE

Qui veut encore de la soupe ?

UN HOMME

Je n'ai plus faim.

UN HOMME

Ni moi.

UN AUTRE

Ni moi.

UN VIEILLARD

Ah ! j'ai tant rêvé de manger à ma faim
avant de mourir !

UNE FEMME

C'est peut-être notre dernier repas.

UN HOMME

Allons donc ! Demain, nous boirons le vin des Bourguignons et nous égorgerons leurs porcs !

UN AUTRE

Quel festin !

UN AUTRE

Nous leur ferons payer ces mois de famine.

CATHERINE

Demain ! Il y aura le même ciel noir autour de la terre, le même vent glacé balaiera la plaine. Verrons-nous encore ce ciel, ou nos yeux seront-ils fermés pour toujours ?

CLARICE

Qu'importe, nous aurons vécu. J'ai eu ma part sur terre.

Entrent des deux côtés de la scène Louis et Jacques.

LOUIS

Tout est-il prêt ?

JACQUES

Il suffira d'une étincelle pour mettre le feu au beffroi, aux remparts, aux maisons. Les infirmes, les vieillards sont à leur poste. Avant

que les Bourguignons aient franchi nos portes, la ville sera en flammes.

LOUIS, *au capitaine.*

Sont-ils tous armés ?

LE CAPITAINE

Oui.

LOUIS

Ont-ils assez mangé ?

CATHERINE

On leur a distribué la ration de deux semaines.

Jean-Pierre entre en courant.

Eh bien ?

JEAN-PIERRE

C'est juste comme l'autre nuit. Ils dorment
et, de ce côté-ci du camp, les sentinelles jouent
aux dés. Je me suis approché à moins de cent
pieds sans être vu.

LOUIS

Nous nous mettrons en marche quand deux
heures sonneront. (*Un temps.*) La porte se
refermera derrière nous.

VOIX

Nous ne reculerons pas.

Louis et Jacques s'éloignent.

Le Capitaine

En place ! Les hommes en avant. En arrière
les femmes et les enfants.

Ils se précipitent en se bousculant.

Clarice

Sont-ce les mêmes gens qu'hier ?

Jean-Pierre

Aujourd'hui, leur sort est dans leurs mains.
(*A Catherine.*) Vaucelles vous doit son salut.

Catherine

Ah ! Peut-être eût-il mieux valu que je me
laisse jeter sans résistance dans le fossé. Ai-je
sauvé ces enfants et ces femmes ? Ai-je con-
damné ces hommes à mort ?

Jean-Pierre

Votre silence eût peut-être sauvé ces hommes. Il perdait à coup sûr ces femmes et ces
enfants. Nous pesons toujours sur la terre.

Catherine

Comment savoir ?

Jean-Pierre

On ne peut pas savoir. Maintenant j'y vois
clair : notre lot, c'est ce risque et cette angoisse. Mais pourquoi souhaiterions-nous la
paix ?

Le Capitaine

A vos places.

Jean-Pierre embrasse Clarice. Ils regagnent tous trois leurs places. Louis revient vers Catherine.

Louis

Adieu, Catherine !

Catherine

Non, pas adieu. Maintenant nous sommes ensemble pour toujours.

Ils s'embrassent. Deux heures sonnent.

Louis

Que la joie soit en nous ! Nous luttons pour la liberté, c'est elle qui triomphe par notre libre sacrifice. Vivants ou morts, nous sommes les vainqueurs.

Deux heures sonnent pour la deuxième fois. Il va se placer en tête de colonne.

Louis

Ouvrez la porte !

La porte commence à s'ouvrir.

FIN

I

ACHEVÉ D'IMPRIMER SUR LES PRESSES
DE L'IMPRIMERIE MODERNE, 177, AVENUE
PIERRE-BROSSOLETTE, A MONTROUGE
(SEINE), LE PREMIER JUIN MIL NEUF CENT
SOIXANTE ET UN.

Dépôt légal : 1945
Nº d'édition : 8185 — Nº d'impression : 5099

Imprimé en France